武器秘密之你问我答

科学漫画

珍奇动植物卷

笑江南　编绘

中国少年儿童新闻出版总社
中国少年儿童出版社
北　京

主要人物介绍

菜 问

向日葵

白萝卜

棱镜草

瓷砖萝卜

豌豆射手

充能柚子

高坚果

导向蓟

坚果

功夫气功僵尸
武僧小鬼僵尸
海盗船长僵尸
海盗僵尸
骑牛小鬼僵尸
自爆僵尸
海盗小鬼僵尸
淘金僵尸
功夫普通僵尸

专家推荐

风靡世界的“植物大战僵尸”游戏以丰富有趣的卡通形象广受人们的欢迎，而一套与其同名的科学漫画则利用游戏中性格各异的人物创编了新的故事，以幽默和童趣把小读者带入一个更加新奇和富有启发性的世界中，潜移默化地传递给他们科学知识。

大家手中的“珍奇动植物”分册，极大地满足了孩子们对于大自然的好奇心和求知欲，通过一个个生动有趣的小故事，例如：“哪种羚羊会‘飞檐走壁’”“什么蜥蜴眼睛会喷血”“什么植物的枝头挂着小雨伞”，等等，使小读者对大自然中的各种知识和趣闻产生浓厚的兴趣，从而更加了解自然、亲近自然。

本书的故事中，有的体现了孩子们对动植物的热爱，例如火葫芦为即将见到大熊猫而激动不已，并特意准备了见面礼；有的表达了孩子们对大自然的向往，例如闪电芦苇和火炬树桩在高山上一睹“雪山之王”的风采；更多的故事则是充满忧虑的呼唤：村民的砍伐直接造成了猪血木数量的大幅度减少；黑节草珍贵而稀有，因长期拔采，种源已枯竭；充能柚子和菜问在大江中努力地寻找着已经“功能性灭绝”的白鳍豚……地球，这个人类和野生动植物共同的家园正面临着前所未有的劫难，保护动植物和它们的生存环境势在必行!

了解、热爱、保护我们赖以生存的大自然要从娃娃抓起，通过漫画的形式普及这个理念则是最为行之有效的手段之一。相信故事中各种卡通形象的言行，必将在小读者的心中留下深深的烙印，而这种孩提时代埋下的种子，将会对他们的一生产生积极的影响。

因此，为了孩子们的明天，希望这套科学漫画越做越大，不断有新的作品问世!

李湘涛

北京自然博物馆研究员

CONTENTS

目录

CONTENTS
目 录

CONTENTS
目 录

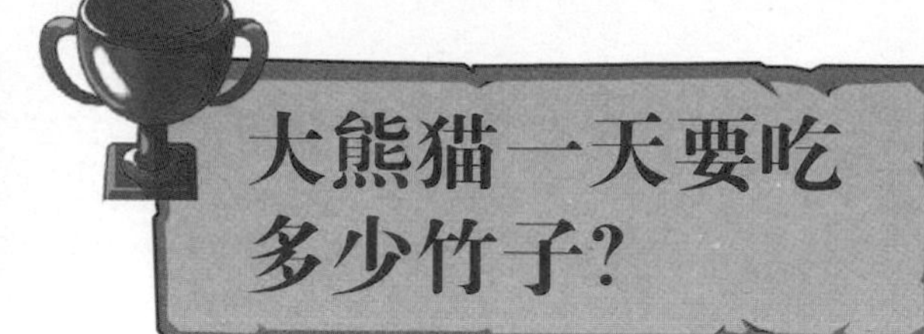

大熊猫一天要吃多少竹子？

咦，这是谁要
过生日吗？
没有啊。

那你买这个大
蛋糕是……

这是我要带给
大熊猫吃的！

大熊猫，我来啦！
这是我给你们的见
面礼，快吃吧！

你们快吃呀，蛋
糕可好吃了！
你在干
什么？

难道你不知道大熊猫是以吃竹子和竹笋为主的动物吗？一只体重 100 千克的成年大熊猫，每天要吃 10 ～ 18 千克的竹叶和竹秆。
大熊猫为了适应环境和气候的变化，从食肉动物进化成了以吃竹子为主的动物，但牙齿和消化道还保持了原样。你如果随便喂它们东西吃，它们会拉肚子的！
哦，原来如此……

禁止私自给大熊猫喂食！每天会有营养师专门为它们安排食谱的。
啊，原来大熊猫的待遇这么好！

喂，我在大熊猫馆呢，你赶紧过来一趟。来之前要洗个澡哟。
大熊猫馆

唰

你这么着急地叫我过来，有什么急事吗？

知识卡片

大熊猫是一种以吃竹子为主的哺乳动物。在不同的季节里，大熊猫会采食不同种类的竹子或同种竹子的不同部位：春夏季以竹笋为主，秋季多吃竹叶，冬季以竹秆为主。由于大熊猫从竹子中获取的营养十分有限，无法贮存足够的能量，因此，大熊猫难以进行能量消耗过大的活动，平时只在一个小范围内活动。大熊猫是中国特有的物种，被誉为“国宝”和“活化石”，主要生活在我国四川、陕西和甘肃的山区。

什么动物被誉为“雪山之王”？

别废话了！赶紧找雪莲，早点儿回去交差了事。
啊，我看到了！

雪莲在哪里？

不，我是看到了雪豹！

对，你就这样站在原地不动。它正在向我们逼近……

你不是说雪豹一般在夜间出没吗？
我说的只是普遍现象，它们偶尔也会出来晒晒太阳。

嗖
啊呜

啪
嗷

呼……
原来它要抓的是野兔……

知识卡片

雪豹是一种大型猫科食肉动物，经常在雪线附近和雪地间活动，是迄今为止栖居在海拔最高地区的猫科动物之一。作为大型猫科动物，雪豹是食物链中的顶层，因此被誉为“雪山之王”。雪豹的皮毛呈灰白色，带有黑色斑点和黑环，同时，它们拥有高度发达的血液分配和呼吸调节技能。雪豹以岩羊、北山羊、盘羊等高原动物为主食，也会捕食高原兔、旱獭、鼠类等体型较小的动物。雪豹是我国国家一级保护动物，目前已被列入国际濒危野生动物红皮书，全球雪豹种群数量大约只有4000只。

什么动物叫“虎”又不是虎？

你给我弄头老虎来。
什么？老虎？

我看那些王公贵族都喜欢用豢养老虎来显示自己尊贵的身份。我也想养一头玩玩。
您看的是什么报纸啊？
贵族养虎

管它是什么报纸！你赶快给我弄一头老虎来。

海盗小鬼僵尸，你还好吧？
你看我长得像武松吗？
唉，我听说让你找老虎的事了。船长真会折腾人！

要不你和我一起去打老虎？
不不不，我胆子比老鼠还小。
唉，真要你帮忙，你就退缩了。
其实，有一种叫“黄虎”的动物……

船长，您要的“老虎”我带来啦！
真的吗？

瞧！

这哪里是老虎，只是只猫吧？
不，它确实叫“虎”。

从它的个头和模样来看，怎么也不像是虎啊。你是在蒙我吧？

我绝对没蒙您！不信你问问海盗僵尸。
船长，这确实是老虎。你可要小心，别被它咬伤啊。

好，那我把它拎到船舱里去调教一下。

知识卡片

金猫的头部形状短而圆，眼睛圆溜溜，毛色不一，有亮红色的（红金猫），灰棕色或暗灰褐色的（灰金猫）和全身斑点的（花金猫）。金猫是一种行动敏捷、善于攀爬的食肉动物，主要捕食鸟类、幼兔、家鸡、啮齿类动物和小型鹿类等，又称“黄虎”。金猫已于2015年被列入濒危物种红色名录。

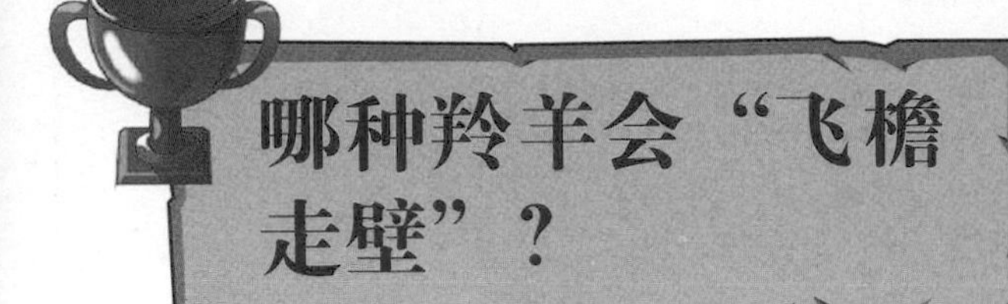

哪种羚羊会“飞檐走壁”？

唰
唰
唰

你是飞檐走壁来的？太酷了！
嗯，我的轻功水平已经得到师父的认可了，飞檐走壁可以说是不在话下。

可我练了半年的功夫，还是没学会飞檐走壁。
师父是不是禁止你下山了啊？

对啊，他说除非我学会飞檐走壁的本领，否则不许下山。
哦，师父也是为你好，你就继续修炼吧。

可是山上太无
聊了，我想去
山下看看嘛。

你求我也没用啊，
我可不敢违抗师父
的命令。
我没让你违抗
命令，只是希
望你帮帮我，
让我下山嘛。

嗯，让我
想想……

看见那只苏门羚了吗？如
果你能借助它的力量飞檐
走壁，想来在这云雾缭绕
的山峰上，师父也未必能
看清楚吧。

只是这种方案实
施起来需要一定
的条件……
我看行……

师父，我终于学会飞檐走壁了！我这就表演给您看。

我跳，我跳！

抓牢苏门羚的犄角！
师父看不到我吧？
咦，它怎么不动啊？是不是吓傻了？
我有办法！

噼里啪啦

知识卡片

苏门羚又名鬣羚、明鬃羊。它的角像鹿，蹄像牛，头像羊，尾像驴，所以它和麋鹿一同被人们称为“四不像”。由于它最早是在印尼的苏门答腊被发现的，因而得名苏门羚。苏门羚擅长攀登和纵跃，可以在陡峭的悬崖上行动自如。这得益于它的蹄子前端窄尖，后端宽阔，四周有角质，中央柔软得像个吸盘，使它能够稳稳地站在陡峭的岩石上。苏门羚主要生活在海拔 1000~4400 米的丛林中，是我国国家二级重点保护动物。

为什么白唇鹿生活在海拔很高的地方？

哇……连羊
都欺负我！

哭有什么用？
有本事你再骑
上去啊！
好，看我的，
我要驯服它！

喂，别跑得
太远，小心
迷路！

呼……呼……这
是什么地方？

啊，你们就是传说中的“神鹿”白唇鹿吧？

老师说过，白唇鹿栖息在海拔很高的地方。难道我已经来到离哥哥很远很远的地方了吗？

神鹿神鹿，快让我回到哥哥的身旁吧。

咦，没反应？

神鹿神鹿，快让我回到哥哥的身旁吧！
哇……难道我要一辈子在这里当放鹿郎了吗？

知识卡片

白唇鹿体形高大，通体披着厚密而粗硬的毛，臀部周围有黄色斑块，所以又被称作“黄臀鹿”。白唇鹿是典型的高寒动物，栖息地的海拔在3000~5000米左右。由于食物和水源的关系，它们还会进行季节性的水平或垂直迁移，比如青藏高原的草场有80%是牦牛、绵羊、山羊的放牧地，为了避免与家畜和牧民接触，白唇鹿会迁移至远离家畜和人的海拔5000米以上的地区。白唇鹿是我国珍贵的特产动物，主要生活在甘肃、青海、云南西北部、四川、西藏等地，被当地人称为“神鹿”。

什么蜥蜴眼睛
会喷血？

菜问，你怎么哭了？很少见你哭呀。
快跟我们说说发生什么事了？

我家小沙皮的身上有血，可我摸了半天也没摸到伤口在哪儿。好为它担心啊！
我看看。

我看它没有什么痛苦的表情，它身上的血是不是在哪儿蹭到的？

蹭到的血？
如果真的是这样，说不定附近发生了什么伤害性事件哟。

天啊，好可怕……
没想到咱们生活的环境这么不安全。

地上有血迹，咱们顺着血迹过去看看吧。

哧
溜
嗒
嗒

好害怕，我不想去！
小沙皮，等等我！
嗒
嗒
嗒
嗒

你干什么？
别想欺负我
的小沙皮！
菜问，冷
静一下！

冷静什么！你看
小沙皮看到它腿
都软了，刚才一
定是它欺负了我
的小沙皮。

哎哟，我的小
角角啊！你怎
么流血了？

一定是这只恶
狗咬伤了你，
对不对？
不可能！我
家小沙皮很
乖的。

汪！汪汪！汪
汪汪……
这叫乖？

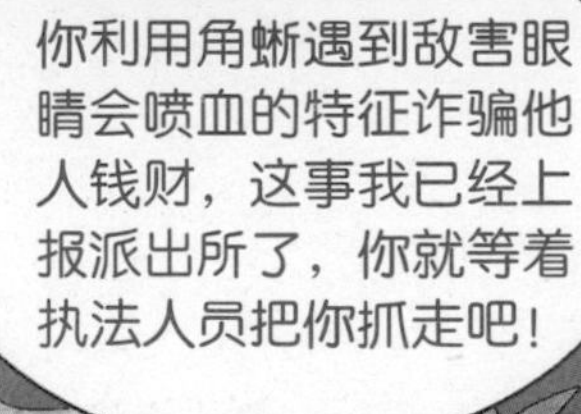

知识卡片

角蜥又名冠状角蜥，身体像蟾蜍，因其头部长着剑形棘刺而得名。角蜥有一种特殊的自卫本领，即当狗、狼等犬科动物对它的生命产生威胁时，它就会通过收缩肌肉，将脖子上大静脉的部分血管堵上。这时，留在脑袋里的血液找不到出路了，脑内血压就会升高，然后它借助这股压力，让一部分血液冲破眼睑上的静脉，喷出 1.5 米长的血柱，威吓对方。它的血液如果喷到了犬科动物的脸上或嘴里，会吓到对方，科学家将此行为称为“抗犬防御”。角蜥主要生活在美国西南部，属于濒危物种。

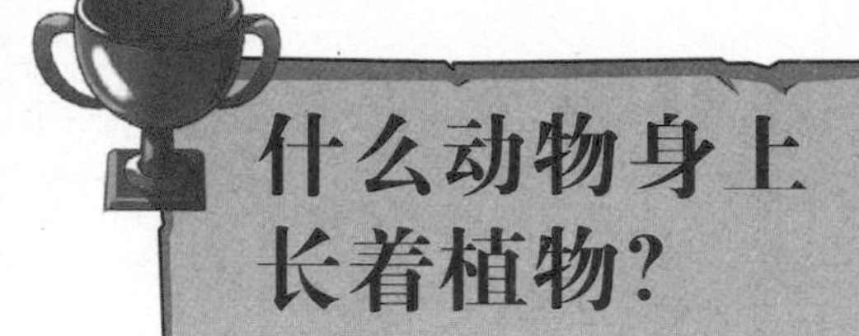

什么动物身上长着植物?

这只树懒太可怜了!它待在大熊猫旁边,却被彻底冷落。
这是动物园特意做出的安排吧,一动一静,别有情趣。

你们说的树懒在哪里?我怎么看不到?

就在那儿,跟树叶的颜色非常接近的那一块!
啊?那真的是一种动物吗?感觉完全看不出来呀!

树懒身上的毛原本是灰褐色的，但它们的毛里附着了藻类植物，所以从外观上看是绿色的。

啊，我还是头一次听说身上长着植物的动物呢，好特别呀！
你知道树懒身上的这些藻类植物和微生物有什么用吗？

我以前连树懒都没见过，怎么可能知道呀！

我知道。这些易消化又富含脂质的藻类可以作为树懒的食物，帮助它们补充养分。

不对哟，据说树懒一般不会主动去吃自己身上的植物。它们身上的植物起到的是伪装作用，让它们和植物“融为一体”，帮助它们躲避天敌。

树懒也有天敌吗？
生活在动物园里当然是安全的。但是在野外，大型的猛兽和猛禽都是树懒的天敌哟。
啊，看来还是被圈养起来更舒服呀！
哼，要是我也把你关在这个地方，保证不出 3 天你就受不了了。

不会呀，只要你好吃好喝地伺候着我，我绝对不会受不了的。
算了吧，我可养不起你。

好，我决定了，我要把树懒作为最新的观察研究对象！

你们先回去吧，我要把它的一举一动全都记录下来，回去好好研究。

知识卡片

树懒的样子有点儿像猴子，但是动作十分迟缓，常用爪子将身体倒挂在树枝上，数小时都不动一下，所以被称为“树懒”。树懒不能走路，靠的是前肢拖动身体前行。它身上的每一根毛都是对半折叠的结构，方便它身上的藻类自由生长。同时，树懒身上的毛里还生长着多种真菌，能够帮助它们抵抗造成疟疾和美洲锥虫病的寄生虫。树懒主要生活在中美洲和南美洲的部分国家，2012年被列入濒危物种红色名录。

哪种猴子头上长着白毛？

师父，我的猴拳总是练不到位，您说怎么办啊？

那是因为你不熟悉猴子的身形、动作和生活习性。想当初，我是跟金丝猴一起生活了大半年，才把猴拳练好的。

那我也去跟猴子一起生活一阵儿吧！

山里猴群众多，你打算跟哪种猴一起生活？

哪种猴……白头叶猴吧。
那种猴子是稀有物种，找起来也很困难，你干吗要选这种猴子？

因为白头叶猴能让我产生一种亲切感啊。
亲切感？

因为白头叶猴的头上长着一撮白毛，酷似您头上的白发。跟它们生活在一起，就像跟师父您生活在一起一样。
……

师父，我走啦！不练好猴拳，我就不回来见您！
走吧走吧，你在这儿也只会惹我生气。

圆背，含胸。

缩脖，耸肩。

猴子喜欢正眼看人，他们观察周围的事物时，习惯于转头不转眼。
哈！
哈！
哈！

啊，太棒啦，我终于领会猴拳的精髓啦！

叽叽……嚯嚯嚯……
咦，你是在跟我说话？
我不想跟你打架，别逼我啊——
咣咣咣

知识卡片

白头叶猴的头顶耸立着一撮竖直的白毛，因其以树叶为主食而得名。它们的躯体削瘦，四肢细长，尾巴比身体还要长。白头叶猴在我国的栖息地位于广西南部的岩溶地区，那里是典型的喀斯特地貌，山峰挺拔陡峭，岩溶溶洞随处可见，为它们的生存和繁衍提供了良好的自然环境。白头叶猴的数量稀少，是全球 25 种最濒危的灵长类动物之一，被公认为世界最稀有的猴类。

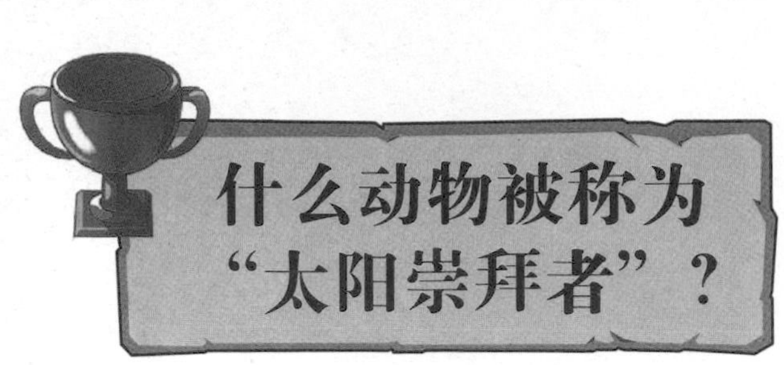

什么动物被称为“太阳崇拜者”？

看，这些环尾狐猴总是喜欢张开双手、面向太阳静静地坐着，所以被称为“太阳崇拜者”。
这不就是一群晒太阳的猴子吗？

看，那只环尾狐猴正在对你做鬼脸呢。

它是羡慕我长得像太阳，准备膜拜我吧。
你也太自恋了……

哈哈哈，它好像被你的言论吓到了。这家伙好像听得懂我们说的话呢。
我看它是专喜欢和我作对吧！

听说它们身上还长着臭腺呢。我们还是快点儿离开吧，别被它们熏晕了。

不会吧？我还真没见过会发出臭气的猴子，好想见识见识。
呃……

糟了，你这样一说，反而煽动了它。

知识卡片

环尾狐猴属于灵长类动物，它面部看上去宛如狐狸，身上长着一条黑白相间的长尾巴（长约 40~50 厘米），因而得名。环尾狐猴喜欢在白天出来活动，擅长跳跃和攀爬，能够在横生的树枝上直立行走，与人类走路的姿态很接近。环尾狐猴能够分泌一种臭气刺鼻的体液作为路标和领地的记号，有时还能以此抵御敌人。公猴的臭腺尤其发达，其腺体的发达程度决定了它们在猴群中的地位。环尾狐猴分布于非洲马达加斯加岛南部和西部的干燥森林中，属于濒危野生动物。

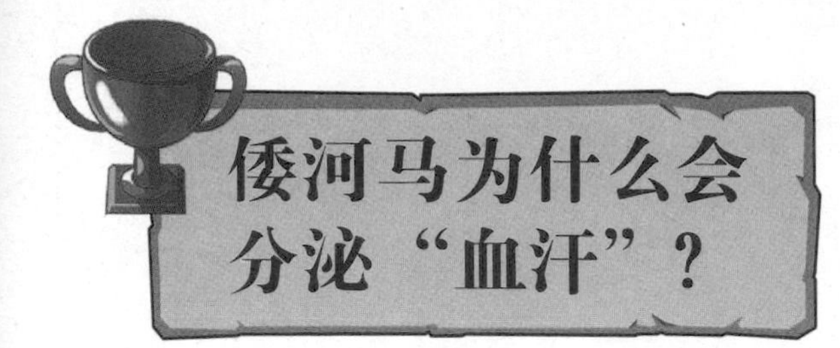

倭河马为什么会分泌“血汗”？

豌豆射手，
快过来！

还以为你出事了呢！你好端端的，瞎叫唤什么？

因为我找到传说中的汗血宝马了！
真的？

……

菜问，并不是所有名称中带“马”字的动物都属于同一种类。
可是，它身上真的有“血汗”的印记呀，和传说中的汗血宝马一模一样！

这是倭河马。它们白天喜欢泡在水里休息，和其他河马一样，身上会分泌一种特殊的“血汗”。

这种汗就好比它的防晒霜，分泌出来的红色素能够吸收紫外线和可见光。

呃……它的确和电视里的汗血宝马不太一样，好像肥了不少……

但是它的珍贵程度一点儿也不亚于汗血宝马，是需要受到保护的动物哟。

那我可以去试骑一下吗？
拜托，我说过要保护它的！
我要说几遍你才会明白？河马和普通的马不是同一种动物！
知识卡片
倭河马产于西非象牙海岸、利比里亚、塞拉利昂等地区，它们通常栖息于溪流、潮湿的森林和沼泽地带。倭河马比普通河马小得多，成年的倭河马体重为160~210千克，背部呈拱形，有利于它们在密林中穿行。倭河马以低矮的蕨类植物、阔叶植物和掉落在地上的水果为主食。同时，倭河马能够通过分泌“血汗”来防止皮肤干裂，因此，有时候面颊会呈现粉红色。目前，由于非法捕杀，野生倭河马的数量正在急剧减少，已成为濒危动物。

哺乳动物也会生蛋吗?

看，我找到了一颗蛋！

你想干什么？把它拿回去煮了吃吗？
没有啊，只是感到很有成就感嘛……

又不是你生的蛋，哪儿来的成就感啊？
呃，那我把它放回去吧。

树那么高，你放得回去吗？

啊，这可怎么办？
我不是故意……

还能怎么办？把它带回植物镇孵着吧。不过，总觉得这颗蛋不像是普通鸟类的蛋，难道是海龟蛋？

胡说！这里是河边，哪儿来的海龟呀！

唉，估计这蛋是孵不出来了，我看你还是放弃算了！
不行，我不能放弃！
剥夺一条小生命的生存权利会让我产生负罪感。

要不咱们去找棱镜草帮忙吧。或许他掌握的最新科技，可以帮助你孵蛋。

真的呀？早说嘛！

导向蓟，你运气不错啊！竟然捡了个宝贝。
你的意思是说，蛋孵出来了？

啊，怪兽！

知识卡片

鸭嘴兽是最低等的哺乳动物之一，它们的母体以卵生的方式繁殖后代。鸭嘴兽的形象十分怪异，它们的嘴和脚像鸭子，身体和尾部像海狸，以至于 18 世纪后期的人看到它的标本时，还以为这种生物是恶作剧的产物。在 2500 万年前，鸭嘴兽就已在地球上出现。目前，鸭嘴兽仅生活在澳大利亚部分地区，作为游泳能手，它们大部分时间都待在水里，皮毛上的油脂能够让它们的身体在温度较低的水中保持温暖。

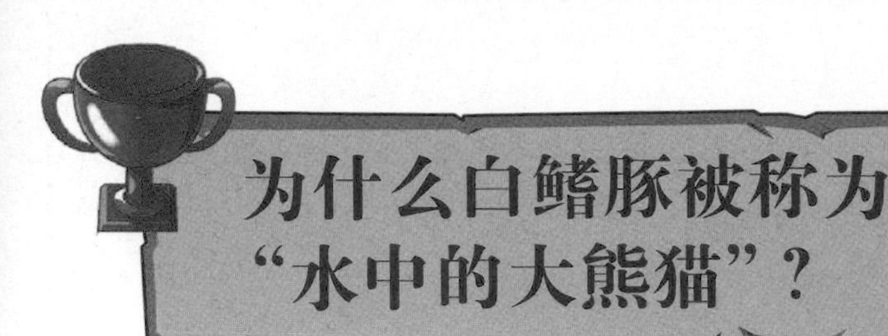

为什么白鳍豚被称为“水中的大熊猫”？

那咱们观测白
鳍豚还有什么
意义呢？
说不定日趋完善的
克隆和转基因技术
可以力挽狂澜呢。

你总是这样盲目乐
观，搞得我也跟你
一起乐观起来了。

其实，我觉得有
个最佳方案能够
探测到白鳍豚是
否还存在。

什么方案？
很简单，你协助
一下就行了。

啪

扑通

充能柚子，你干吗把我踹下来？
你不是很擅长游泳吗？探测到白鳍豚的最佳方案就是潜到水里去寻找呀！

知识卡片

白鳍豚是我国特有的淡水鲸类。它的眼睛很小，是体温恒定的食肉性动物。它的背部呈青灰色，与江水混为一体，使它在逃避敌害、接近猎物时有了天然的隐蔽屏障。不少科学家怀疑白鳍豚已经灭绝，但是近年来有人目击到长江里还存活有少量的白鳍豚。白鳍豚是世界上12 种最濒危的动物之一，2007 年《皇家协会生物信笺》期刊曾发表报告，正式宣布白鳍豚功能性灭绝。

为什么粉色的海豚十分少见？

我挺爱来这家餐馆吃饭的，但是听保洁叔叔说这家餐馆从来没扔过厨余垃圾。
?
真的吗？

所以我怀疑变身茄子是不是就近把垃圾扔进河里了……

你可真爱多管闲事呀！
植物镇是我们大家的，维护这里的环境和食品安全是大家共同的责任。

你说得对。要不咱俩一起监视变身茄子的餐馆吧？
我只是有所怀疑，还没找到确实的证据呢。

白天监视是没用的，咱俩今晚守在这里，一定会发现蛛丝马迹的。

看，来了！
来了！

哗啦

住手！

你在干
什么？

我在喂
鱼呀！
喂鱼？

这头粉红海豚自从我开店以来
一直在这里徘徊，但它一直饿
得肚子瘪瘪的，看上去很可怜，
于是我每到半夜都会给它喂一
些小鱼补充营养。

知识卡片

粉红海豚是指亚马孙河豚，它们生活在亚马孙河流域，全身呈粉色，尾巴很大，看起来像两片大树叶。它们每天需要吞食大量的食物，所以几乎每时每刻都在不停地觅食。粉红海豚常常和其他普通海豚在一起包围一些小鱼群。粉红海豚的身体光滑而柔韧，游泳速度能达到 32 千米每小时。

海狮也有“狮吼功”吗？

嘿嘿，你们不是让我站
岗放哨吗？我找来了得
力助手——北海狮！

总共就三天两夜
的露营，你竟然
还要找帮手！
好啦，北海狮在
岸上十分机警，
应该能起到守
卫的作用，你
俩就别争了。
我可不想为了
防范那帮僵尸
彻夜不睡觉。

那就拜托你跟
北海狮一起守
好上半夜啦。
站岗的是它，
我负责睡觉。

Z Z z

噭 噭 噭

发生什么了？
难道僵尸来袭
了吗？
什么声
音啊？
呼……呼
呼……
ZZZ

嗷嗷……

其实，这也
不能怪它，
对不对？
嗯，僵尸也是有海
盗船的，和那艘还
真有点儿像。

算了，回去
睡觉吧。
令我无奈的是
莲小蓬这家伙
根本就没醒！

知识卡片

北海狮又名北太平洋海狮、斯氏海狮、海驴，是海狮科中体形最大的一种。它们的全身披着短毛，只有鳍肢的末端是裸露的。成年的雄性北海狮的肩颈部生着长而粗的鬃毛，叫声也酷似狮子。北海狮主要以乌贼、蚌、海蜇和鱼类为食物，多数情况下整只吞下，不加以咀嚼。北海狮在岸上活动时异常机警，即使是海鸥的叫声也会引起它们的恐惧。

你见过长得像树叶的海龙吗？

这是叶形海龙。它是一种稀少而珍贵的海鱼，以后它就归你养了，你可千万不能出差错呀！

这不就是一团海藻吗？
什么海藻！这是只有澳大利亚局部海域才有的珍稀海鱼物种。

啊，这就是海盗僵尸送给您的海鱼？
你的消息倒是挺灵通的。

那我要是把它养好了，是不是也能升职呀？
我会考虑一下的。

好！那我一定不辜负您的信任，把这条海鱼照顾好。

沙 沙

哗

海盗小鬼僵尸，叶形海龙死掉啦！

啊，不好意思，是我看错了，它在休息呢！

知识卡片

叶形海龙是一种较为稀少的海鱼，也是叶形海龙属的唯一成员。它们通常生活在较浅且水温较高的海域，长得像叶子的凸形物体遍布叶形海龙的全身。它们从胸鳍和背鳍获得行动的推进力，每分钟数次的来回摇荡使叶形海龙看上去像是一团飘动的海藻。叶形海龙生活在澳大利亚南部及西部海域，常被澳大利亚的节日或组织当成吉祥物或象征物。

哪种鱼能发射“水枪”？

藏好了吗？

可恶！你干吗朝我喷水？

嗖
还没有——

好啊，看来和我玩藏猫猫是借口，喷水捉弄我才是你的真正目的吧！
静

哼，我要跟你绝交！

你们怎么了？为什么互不理睬？
你问他！

叽叽
呱呱

依我看，搞恶作剧向你喷水的可能另有其人啊。
可是当时只有我跟豌豆射手在水边，根本没有其他人！

口说无凭，咱们去实地勘察一下吧。
好，我也想证明自己的清白！

你们这是在
干什么？

你一会儿就
明白了。

嗖——
啪——

这里已经成为宠物的免费洗浴圣地了，因为有一种神秘的鱼会向宠物身上的虫子喷水。

知识卡片

射水鱼是一种观赏价值很高的鱼，它们生活在印度洋至太平洋一带的热带沿海以及江河之中，最具特色之处是捕食方式。射水鱼在水面游动时，不仅可以看到水里的东西，也能察觉到空中的物体，一旦看到水面上空有捕猎对象，如小昆虫，就会偷偷游近，瞄准它，然后从口中喷出一股水柱，将昆虫打落到水中，将它吃掉，并且命中率相当高。最令人惊讶的是，这股水柱甚至可以高达 3 米。

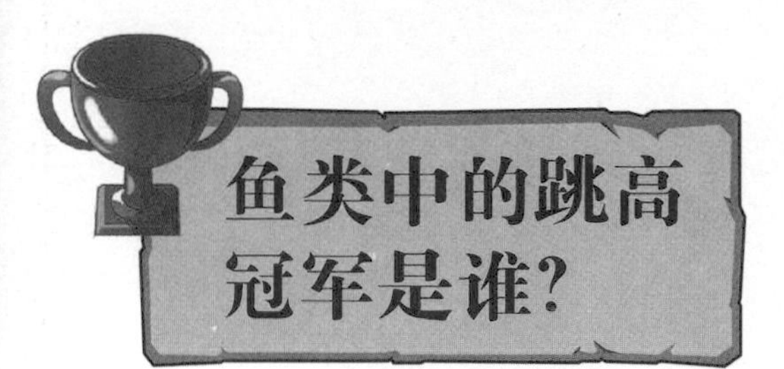

鱼类中的跳高冠军是谁?

坚果，轮
到你了！
我……

咕噜
咕噜

蹦

哈哈，你这也
算是跳高吗？
我看坚果是被地
上凹凸不平的地
方绊了一下吧。

可恶！我会好好练跳
高的，一定要让你们
对我刮目相看！
好，坚果
有志气！

看什么呢，这么入神？
我在看鱼类中的跳高冠军鲯鳅是怎么跳高的……

它一般是在追飞鱼的时候才会跳得那么高，据说最高能达到6米呢。
飞鱼是它的捕猎对象吗？
是啊，飞鱼可以在半空中滑翔100多米呢，然而强中更有强中手，它最终还是逃不过跳高冠军鲯鳅的追捕。

我终于明白跳高的诀窍了！

知识卡片

鲯鳅是一种大洋性鱼类，头大，背窄，额头上有一块骨质隆起，其隆起程度随着成长愈加明显。它们喜欢栖息在海洋的表层，白天十分活跃，擅长游泳，喜欢追捕飞鱼和沙丁鱼等表层鱼类，经常会跳出水面捕食。有趣的是，鲯鳅还会像陆地上的狐狸一样，在危难时刻平躺装死。每当它不慎落入喜欢折磨猎物的海豚口中时，就会立刻装死，使海豚对它失去兴趣，由此屡屡死里逃生，获得了“水下狐狸”的称号。

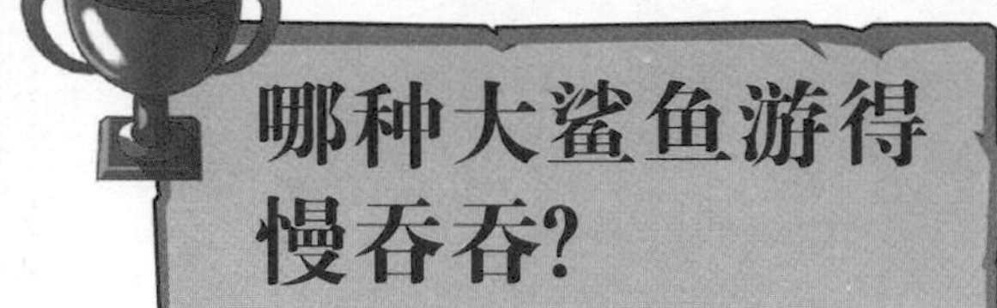

哪种大鲨鱼游得慢吞吞?

快救救我！我不想被鲨鱼吞进肚子里呀！
嗖

看我的！

哇……我没命了……
冷静一下，我已经把你拉上岸了，你安全了。

那是姥鲨，不咬人的。
而且它离你那么远，你叫什么呀！

我哪儿知道它不咬人啊！那么大一条鲨鱼跟在身后，谁不害怕啊！

姥鲨一种是游动速度相当缓慢的鲨鱼，以吃浮游生物为生，一般不会袭击其他生物。
没错，以前在海里遇到姥鲨，我还和它嬉戏过呢。

我明白了。不好意思，刚才吓着大家了。
以后多学点儿知识，别动不动就一惊一乍的。

哗！哗！哗！

啊，它怎么又来了？

你们不是说它只对浮游生物感兴趣吗？
嗒嗒嗒

知识卡片

姥鲨是姥鲨科及姥鲨属中唯一的物种，分布在全球的温带海洋中。它们生性迟钝，在船只靠近时也没有逃逸意识，时常在晴朗的天气里浮在水表层。它们有时吃一些浮游生物，有时候翻身侧卧，露出肚皮晒太阳。姥鲨通常不会袭击人类，但却经常被人类捕捉，因此物种数量急剧下降。

蓝环章鱼为什么会发光？

看，那儿在发光，好漂亮！

好像是章鱼在发光。
别过去！那是蓝环章鱼。

蓝环章鱼的皮肤内含有颜色细胞，能反射光，遇到危险时，它们身上的环就会发出蓝光，向敌方发出警告的信号。

不要紧，我又不是它的敌人。

哎哟！
怎么啦？你被它咬了？

拜托，是不是敌人由它来判断，不由你来判断！

没有，我撞上石头了！

幸亏它没咬到你！刚才我忘告诉你：蓝环章鱼会分泌毒液，这是它的致命武器！

天啊，你早说啊！咱们快离开这里吧。
嘿嘿，不好意思，我一着急就分不清主次了。

哗啦——

你们总算上来了，还以为你们在海底遇到不测了呢。
你就别咒我们了……

菜……菜问！你背后的那个东西是什么呀？
我背后的东西？

啊，是会分泌毒液的蓝环章鱼！

喂，你别把它扔到我这里呀！

知识卡片

蓝环章鱼是一种剧毒生物，体型比网球还小，以吃小鱼、蟹、虾和甲壳类动物为生。它的体表是黄褐色的，较容易隐身于周边环境。它一般不攻击人，但尖锐的嘴却能够穿透潜水衣。被咬后的人几乎没有疼痛感，1 小时后蓝环章鱼留在人体内的毒性才开始发作。蓝环章鱼分泌的毒液能麻痹神经系统，使被攻击的对象肌肉瘫痪，不能呼吸。目前还没有抗毒素能够有效地起到防御作用。

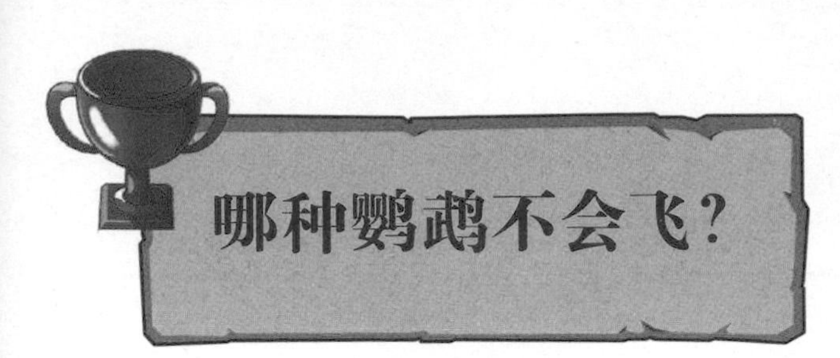
哪种鹦鹉不会飞？

啊——

这是怎么回事？你把僵尸鹦鹉的兄弟带来了？

这只鹦鹉受了伤，我觉得它已经没救了，海鸥硬让我把它带回来。
听说它很可能是僵尸鹦鹉的远房亲戚。

船长，我先抱它去治疗了。

去吧去吧，一定要把它救活啊！鸮鹦鹉可是很少见的珍贵鸟类呢。

你的意思是我不珍贵了？可恶！

唉，为了你，我也受了不少罪啊！
我看它长得有点儿像猫头鹰，会不会是只变异的鹦鹉？

什么变异鹦鹉啊！它天生就长这样。
好吧，那船长您打算怎么安排它呢？

这个嘛……你帮我去买一样东西……

船长真是个喜新厌旧的家伙！
人家伤病初愈，你就别吃醋了。

它在这里待了快半个月了，伤早就痊愈了，怎么还不飞走？
你不知道吗？鸮鹦鹉不会飞啊。

知识卡片

鸮鹦鹉长着一对较短的翅膀，却没有鸟类控制飞行肌肉的龙骨，所以无法飞行。作为一种夜行性鹦鹉，它的全身遍布黄绿色的小点儿，是新西兰的特有物种。鸮鹦鹉喜欢吃植物的种子、果实和花粉，也是世上寿命最长的鸟类之一。

为什么游隼有3个眼睑？

老师，沙眼的症状是不是眼睛干涩啊？
不会吧？我现在眼睛就很干涩啊。

那是因为你昨晚玩电子游戏的时间太长了吧。
你怎么知道的？

一看坚果那双熊猫眼就猜到了，你俩是一起玩的吧？
坚果，你怎么能把这么重要的情报泄露给她呢！

我才没有泄露呢！是她自己推理出来的。
你啊……你哥哥不在家就无法无天了是不是？

老师，您怎么知道我哥哥不在家的？
你哥哥要是在家，你还敢带上菜问玩游戏玩到三更半夜？
感觉跟有洞察力的人在一起好危险啊，一举一动都被推理出来了……

老师，我们在这儿等了10 多分钟了，里面那个检查沙眼的同学怎么还不出来啊？

嚁——嚁嚁——
我好像听到了惨叫声……
医务室
我也听到了！

快来帮忙啊——
这不是闪电芦苇的声音吗？
难道刚才的惨叫声不是同学发出来的，而是医生发出来的？

先进去看
看再说！

快来帮我按住
这头游隼！
医务室

这位不是咱们
的同学吧？
咱们是不是跑错
地方，跑到动物
医院来了？

少废话，快
来帮我！
好吧，咱
们先去帮
忙再说。

天啊，游隼
竟然有 3 个
眼睑！
对，那是它的瞬膜。飞翔
的时候，游隼用瞬膜将眼
球遮覆起来，可以起到防
尘和防干的作用。
医务室

知识卡片

游隼是一种喜欢单独行动的中型猛禽。它们能够在天空中自由地翱翔，叫声尖锐，略带沙哑。游隼性情凶猛，为了保卫巢穴和领地，敢于攻击体型比自己更大的金雕、矛隼等。游隼在捕猎的时候，以每秒 75~100 米的速度，近似垂直地从高空俯冲而下，靠近猎物时稍稍张开双翅，用后趾猛力击打或用脚爪攫住猎物，使其受伤或毙命。游隼俯冲时身体所承受的压力极大，要是被风中的沙子击中眼睛，就如同人被子弹击中一样致命。因此，游隼有一层额外的眼睑——瞬膜，起到保护眼球的作用。

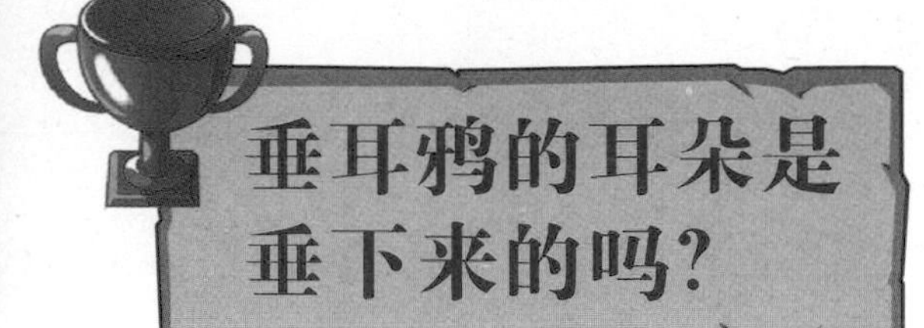

垂耳鸦的耳朵是垂下来的吗？

哈哈，是的，这只是苏格兰垂耳猫，特别听话呢。

喵——

真是太可爱了！

喂！你们互相欣赏完了没有？该轮到我介绍我的垂耳鸦了吧！

鸭子有什么好介绍的！
你还把它关在笼子里，它真可怜！

请你们搞清楚，我说的垂耳鸦的“鸦”，是乌鸦的“鸦”！

咦，你还带了只乌鸦来？
它是垂耳鸦，不是普通的乌鸦！

垂耳鸦是新西兰特有的物种，身上的羽毛虽然偏暗，却有着明显的光泽。

叫它垂耳鸦是因为它的嘴基部有一对大而鲜艳的下垂肉。它可是被列为濒危物种的珍稀鸟类啊！

喂，你们竟敢无视如此珍稀的鸟类！
那又怎么样？

知识卡片

垂耳鸦又名食蜜雀，分为两个亚种。其中，南岛垂耳鸦可能已经灭绝。目前仅存的是北岛垂耳鸦，生活在新西兰北岛的茂密丛林里，其喙角往往有蓝色或橙色的条纹。垂耳鸦的飞行能力较差，主要依赖行走，喜食昆虫及虫蛹、蜘蛛和小浆果等。

为什么百山祖冷杉被誉为“植物活化石”？

唉，你闯祸了！
闯祸？

这棵小树是百山祖冷杉，是中国特有的珍稀植物。不经允许擅自砍伐，是违法的行为。

生火可以买柴火啊，干吗要砍树嘛！
可我的初衷是好的……

现在该怎么办啊？把它送回去？
都已经锯断了，还送回去干吗？你在路上就会被抓起来的。

我看你还是到火药魔头僵尸那里避避风头吧，我这里是容不下你了。
啊，说了半天，您是要赶我走？

我还是很好心的，给你提供了一个坚实的避风港。
我不走，我不走！

它真的很了不起。百山祖冷杉是中国苏、浙、皖、闽等省唯一幸存至今的冷杉属珍稀物种，被誉为“植物活化石”。

你不走可要把我连累了。我年纪一大把，你忍心看我被关进监狱吗？
不就一棵名字长一点儿的树吗？有啥了不起的？

它要是真这么重要，怎么会随随便便地长在野地里呢？
你怎么知道那片地是野地呢？说不定已经被划入自然保护区了。

那我怎么办啊？
我不是说了吗，先去火药魔头僵尸那里避避风头再说。

知识卡片

百山祖冷杉是中国特有的古老植物，最先在浙江庆元县百山祖被发现，因而得名。它被认为是第四纪冰川期冷杉从高纬度的北方向南方迁移而来的植物，对于研究植物区系演变和气候变迁等问题具有极为重要的科学价值。百山祖冷杉的开花结果周期长，天然更新能力较弱，被列为世界最濒危的 12 种植物之一。

什么植物是“茶族皇后”？

唉，坚果的老师也太能玩花样了！
怎么啦？火炬树桩又给你弟弟出难题了？

他偏要搞什么“茶花会”……

哦，火炬树桩平时的确挺爱养花的。

他要搞这个活动我没意见，但他没必要让学生们跟着他一起搞啊。
这倒也是，折腾学生和折腾家长没什么区别。
花店

害得我工作日都得向公司请假，出来帮坚果找茶花。
他说自己平时的成绩一直是倒数第一，这回一定要找一棵最漂亮的茶花帮他一雪前耻。

最漂亮的茶花？我这儿就有啊！
我怎么有一种即将受骗的感觉……

别误会，我已经改邪归正了。

为了表示诚意，我将本店的“茶族皇后”推荐给您！
茶族皇后？

对，就是金花茶！它填补了茶科家族没有金黄色花朵的空白。
您看这绿叶坚挺饱满，半透明的金黄色花瓣多漂亮啊！

等一下，先让我看一下手机。
怎么啦?

我用手机上网搜一下金花茶的资料，验验货。

坚果！我给你带来了一盆最美丽、最珍贵的茶花。
明天你把它带去，绝对不会丢脸。

知识卡片

金花茶属于山茶科，它的花朵呈金黄色，被誉为“茶族皇后”。它仿佛涂着一层蜡，花开时秀丽多姿，花型呈杯状、壶状或碗状。我国广西壮族自治区内分布着全世界近90%的野生金花茶，由于它具有特殊的色泽遗传基因，其繁衍很难，成活率也不高。

什么树是“树中之象”？

暑假天天待在家里，好无聊啊！

哥哥也觉得很无聊啊，快要失去生活的动力了。

哥哥，你这样可不行，你必须给我的生活带来希望和动力呀！
那谁给我的生活带来希望和动力呢？

要不咱们一起去哪个岛上玩玩吧。
你是说植物岛吗？

不，这回咱们去非洲塞舌尔的普拉兰岛怎么样？

非洲？
对，非洲。

尽管你的提议很突然，但我觉得听上去很爽！
好，那咱们赶紧收拾一下，明天就出发吧！

从远处看，这些
树真像大象啊！
哈哈，还真被你说中
了！这是海椰子树，
它们体型巨大，被称
为“树中之象”。

太棒啦，
有海椰子
吃了！
哥哥这就给
你打几颗下
来吃。

这样真的可以
吗？咱们还是
花钱去买吧。
没关系，哥
哥打下来给
你吃。

哟，你
来啦？
不好，有人来
了！快把竹竿
放下。

今年海椰子
的长势很不
错呀。
是啊，看着
就让人流口
水呢。

知识卡片

海椰子又叫复椰子、海底椰，是非洲塞舌尔普拉兰岛和库瑞岛上特有的一种棕榈树，树高20~30米，树叶呈扇形，长达7米，被称为“树中之象”。它的果实海椰子是世界上迄今为止最大的果实，大约需要10年才能成熟。

什么树能直冲云霄？

菜问！豌豆射手！你们在哪儿？
你们答应一声啊！

老师——向日葵——
别拿手电筒对着我！
老师，我好像听见他们回应我们的声音了！

我们在上面——

怎么还是看不见你们？你们是在这棵望天树上吗？

知识卡片

望天树又名擎天树，高40~60米，分布在中国云南南部、东南部和广西西南部以及东南亚一带的热带雨林里。望天树的木材纹理很直，十分坚硬耐用。它的树体虽然高大，结的果实却十分稀少，而且脱落严重，不易采集。

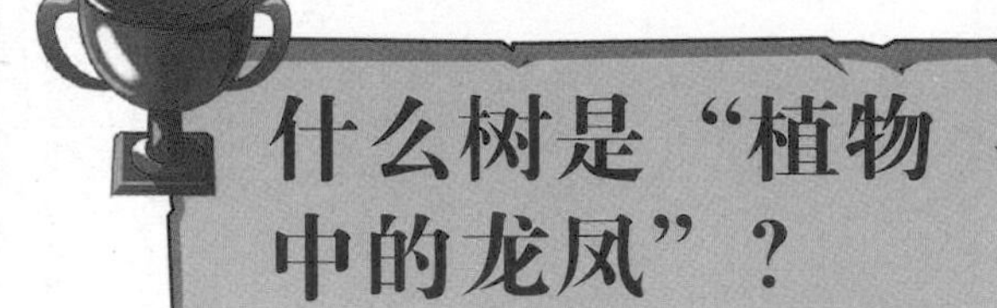
什么树是“植物
中的龙凤”？

为什么我从来
都没有得到过
赏识呢？

那是因为你
没有遇到伯
乐啊。
我怎么觉得这个世
界上已经没有伯乐
了，再也没有谁能
够欣赏我演奏的钢
琴曲了呢？

不，你可以自己
制造“伯乐”。

真的吗？

我曾经师从风水大
师，学习了一些皮
毛。你之所以怀才
不遇，就是因为没
有住在伯乐树下。

伯乐树？

那是一种极为珍稀的落
叶乔木，被誉为“植物
中的龙凤”。花型像是一
只只倒吊的小钟，散发
着艺术气息。它是不是
和你的气质很般配？

对，你说得对极了！在这样的树下弹琴，肯定是一种美妙的享受！
不光是美妙的享受，你还会遇到生命中的伯乐！

那我怎样才能找到伯乐树呢？

本来我是不该泄露天机的，但为了帮你一举成名，我就破个例吧！
你对我真是太好了！

你往城外走 5 千米，会看到一片阔叶林。林中央就有一棵十分显眼的伯乐树……

你在那里盖个茅屋，等候伯乐来临即可。
好好好，我这就搬家！

知识卡片

“伯乐树”这个名称由拉丁语学名音译而来。伯乐树又名钟萼木，它分布于中国南方以及越南北部，是国家一级保护植物，在研究被子植物的系统发育和古地理、古气候等领域有着重要的科学价值。伯乐树经常生长在阔叶林里，生长速度较为缓慢。

什么树的果实会爆炸？

博士，听说植物镇由于人手不足，取消镇口的站岗巡逻啦。

那正是咱们进攻的好时机啊！
秋高气爽的天气是预示胜利的好兆头啊！

既然你这么积极，就派你和沙滩旗子僵尸当先锋吧。
啊，就我们俩？

你们先去探探路嘛，大部队会在后面接应你们的。

一阵子没来，
我都不认得这
里了……
这些果实是
专门留给咱
们吃的吗？

我带头，你跟我
进去，咱们先去
摸摸情况。

什么声音？

啪
啪
啪

啊——好疼！
疼死我了！
你这家伙别叫了！别把
植物们都吵醒了……

可恶！我先
走了！
喂！你走的方向不
对呀……

……于是我就在
那儿小心翼翼地
打着滚，一路滚
出了炸弹树的势
力范围。
唉，植物们居然
会想到这招儿，
真是太绝了！

博士，您号称是僵尸
中最博学的一个，怎
么就造不出炸弹树那
样的武器来呢？

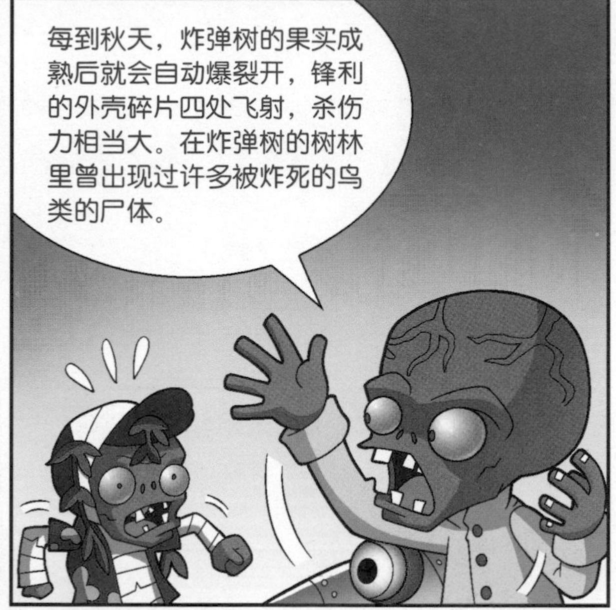

知识卡片

炸弹树主要生长于南美洲亚马孙河流域，中国南方也种植了少量炸弹树。炸弹树分泌的汁液里含有大量的烃类化合物，可以直接用作燃料。它的果实呈绿色，向阳面可为紫红色，十分坚硬，从开始结果到自然脱落，需 4 个月左右。这种树木具有较大的危险性，因此不宜在其周围建造房屋。

为什么猪血木数量很少?

明天拿给老师，
让他看看这是什
么树的果实。

今天我要表扬一下坚
果，他给了我非常珍
贵的猪血木种子。

早知道这么珍
贵，就不送给
老师了……
老师已经把那 2
颗种子送给了科
学家朋友，希望
他能培育出珍贵
的猪血木。

老师，为什
么猪血木这
么珍贵呀？
这名字听起来不
像是什么稀有的
树种啊……

猪血木珍稀的原因在于它通常生长于人类活动频繁的乡村四周，非常容易遭到砍伐。

另一方面，由于喷洒农药、打鸟等人类活动的干预，使得猪血木种群附近的鸟类大幅减少，因而少了传播种子的媒介。

坚果，所以你要继续和鸟儿做朋友啊！它们带给你的礼物有时候会超乎想象的珍贵呢。

坚果，你有没有看到我抽屉里的200 块钱？
看到了，已经被我用完啦。

谁让你用的？这是咱俩这个星期的饭钱！

知识卡片

猪血木是中国特有的山茶科濒危植物，目前零星地分布于我国两广地区。猪血木的种子没有休眠期，鸟类消化果实时既不损害种子的活力，也不促进种子萌发。由于猪血木结构细致，以前村民们在建筑房屋和打造家具时经常把它当作建材进行砍伐，直接造成了猪血木数量的大幅减少。

土沉香为什么被称为“众香之首”？

怎么可能呢？这
明明是香气！

老师，我要举
报，向日葵擦
了香水！

确实有一股奇特的
香气，不过和香水
的香味还是有点儿
区别的……
老师，您要包
庇向日葵吗？

向日葵，你
真的擦了香
水吗？
我才没擦香水
呢，那是土沉
香的香囊散发
出的香气啦。

原来是土
沉香的气
味啊……
土沉香是
什么？

土沉香是一种高
约5~15米的乔
木，生长在低海
拔的山地、丘陵
和疏林中。

土沉香的老茎受伤后积起来的树脂俗称沉香，可用作香料的原料，自古以来被誉为“众香之首”。

听见了吧，这种香气可是众香之首呢！
我看是因为古代人还没发明出香水，所以少见多怪吧。

向日葵，香囊我先拿到办公室了，放学后你再拿回去吧。它散发出的香味太重了，会分散大家的注意力。以后不许带到学校来了。

不对呀，怎么还是有一股香喷喷的味道？
这次明显不是土沉香的香囊散发出的香气。

知识卡片

土沉香主要分布于中国广东、海南、广西、福建等高温多雨的热带和亚热带季风气候地区，与黄桐、橄榄、水石梓等植物混生。土沉香具有驱虫却不杀虫的特性，有益于维护生态环境。古人所谓的“沉檀龙麝”中的“沉”，指的就是由土沉香所产生的沉香。

茶叶蛋会长在树上吗？

坚果，你怎么了？你的脸色好差……
我好饿！

哥哥听医生说我体重超标，昨天连晚饭都不给我吃，还逼着我在跑步机上跑了1小时。
虽然我很同情你，但医生说的是事实吧。
哪里是事实！我们坚果家族都是这种身材，怎么可以用普通的标准来衡量我们的体重呢？

哎哟，肚子好空，连吵架的力气都没了……
……

啊，那棵树上好像长着好多茶叶蛋！
什么？

那么小，哪里是茶叶蛋啊！
说不定是茶叶鹌鹑蛋呢……

我好想吃……

坚果，你在干什么？

啊呜！

我在吃茶叶蛋。但它的味道有点儿苦，好像也没有蛋黄……

这不是茶叶蛋，这是濒危野生植物藤枣！我天天看护着它，好不容易才等到它结果。我打算用它进行科学研究的，却被你这个贪吃鬼吃了，快给我吐出来！

我只吃了1个，那边不是还有很多……
老师，别晃他啦！他身体不舒服……

咚

知识卡片

藤枣又名苦枣，形如鸡蛋，是一种濒危的木质藤本植物，仅零星分布于中国西双版纳。作为低山沟谷雨林中的层间植物，藤枣是极为罕见的。由于它在中国是单种属植物，分布地区又极为狭小，应该严加保护。

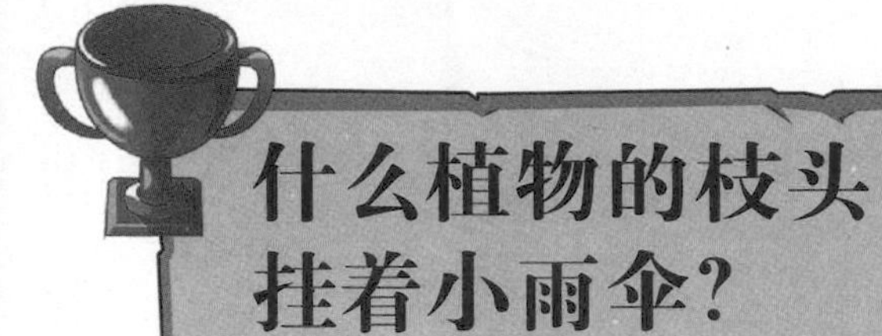

什么植物的枝头挂着小雨伞?

我凭什么把伞让给你啊？让给你了我用什么呀？
哦，我以为你还有另1把伞呢。

另1把伞……有了！

前方有1种植物，枝头开的花朵就像1把把雨伞。你去那种植物下面躲雨吧。

还有这么奇特的植物？
就在前方1000米的地方，你快去躲雨吧。

那你陪我一起走到那里吧。
不，我马上就要拐弯了，不顺路。

好吧，那我
先走了。

嘿嘿，七子花的形状
的确像雨伞，但是花
型很小，用它当雨伞
肯定是不够的……
不管了，
能挡一点
是一点。

功夫气功
僵尸！
冤家路窄，
怎么又遇上
你了！

别怪我啊！我
没想到七子花
的花朵……
你说的那棵
植物真的很
神奇！

知识卡片

七子花是中国特有的忍冬科单种属植物，原产于湖北、安徽、浙江等省。但如今在湖北和安徽两省，七子花已然绝迹，浙江大盘山是它目前最重要的分布中心地。七子花的花期较长，花序呈圆锥形，远远望去就像一把把撑开的小雨伞。

山楂海棠是会结山楂的海棠花吗？

骑牛小鬼僵尸，
让你整理物品，
你怎么什么也没
干啊？

我正准备整理
呢，是你们回
来得太快了。
唉，走了好长一段
路，口干舌燥的，
吃点儿山楂吧。

糟了，山楂全被我
吃光了……

这次的山楂看着
挺新鲜的……
是啊，我就带
了五六个，解
馋用的。

什么？山楂没有
少？那我刚才吃
的是什么呀……

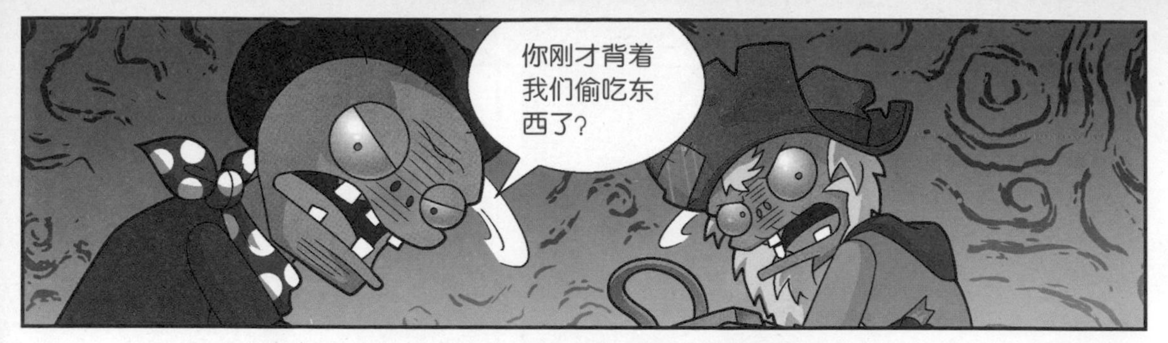
你刚才背着我们偷吃东西了？

这都不算什么啦！重要的是我很可能吃了有毒的果子。
要是你吃了有毒的果子，早就不像现在这样活蹦乱跳的了。

但我一定要搞清楚自己吃的是什么，否则我会害怕得一直吃不下东西的……
你吃的是山楂海棠的果实啦。瞧，跟这个一模一样吧。

山楂海棠是会结山楂的海棠花吗？
它是海棠花，但它结的果实不是山楂，只是味道比较接近。

知识卡片

山楂海棠是一种苹果属珍稀植物。它主要生长在长白山西南坡的针阔混交林中，天性耐寒，植株低矮，是培育苹果属矮化品种的遗传基因库，也是研究苹果属抗寒性植物的宝贵材料。现仅零星分布于长白山，处于濒危状态。

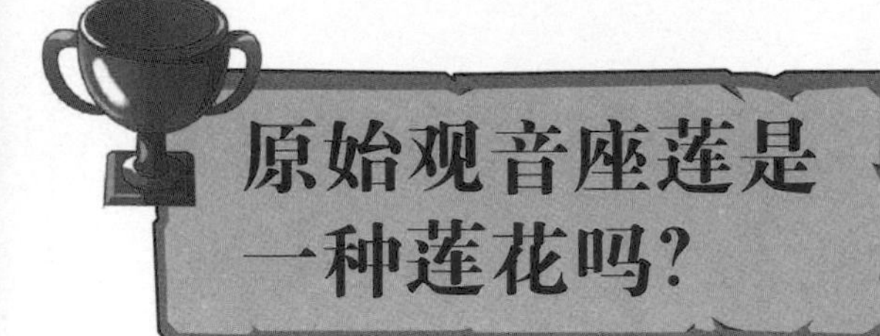

原始观音座莲是一种莲花吗?

这是一种很古老的蕨类植物，和睡莲科植物没什么关系。

不就是一盆草吗？怎么起了一个这么好听的名字？

从今天起，保护这盆原始观音座莲就是你的任务了。
啊？这不是你接受的光荣任务吗？

你要每天定时护理它，千万不能让它出现“头疼脑热”等现象。
搞得我像护工似的……

否则，你的工作也就保不住了……

唉，我左看右看，
就是看不出这棵
植物到底珍贵在
哪里……

啊，下
雨了！

千万别把它晒死
了，它可事关我
的饭碗啊！

啊！

怎么回事？
原始观音座莲
被偷走了！我
不想活了！

哦，是镇里让我运回
去了，他们说另外安
排别人来保护它了。
你早说啊！

知识卡片

原始观音座莲主要分布在云南东南部、广西南部、海南岛及台湾地区，大多生长在较为阴湿的季节性雨林里。它不会开花，所以不是因为花长得像莲花而得名。它的每片叶子的基部有两片肥厚的合生托叶，这两片托叶能够保护即将萌发的幼叶，使它们不受外界的干扰和破坏。从叶子长大到枯萎，所有的托叶都不会脱落，而是经年累月地聚集在块状的根茎上，形成如同观音菩萨盘坐的莲花座，故得此雅名。作为蕨类植物中较原始的典型，它的姿态奇异，叶片翠绿，具有一定的研究价值。

曾与恐龙存活于同一时代的植物是什么？

昨天的考卷上
有一道题，
全班同学里只
有火龙草一个
答对了。

真的吗？
好高兴！

那道题是：曾与
恐龙存活在同一
个时代的植物是
什么？
是火龙
草啊！

你们还挺理直气壮！
火龙草这么年轻，怎
么可能和恐龙生在同
一个时代啊！

怎么看都是火龙
草啊！看他那个
样子，就像和恐
龙有亲缘关系。
对啊，难道不
是火龙草吗？

火龙草，快告诉
他们正确答案！
答案是四
合木。

四合木是
什么？

唉，咱们学校的
花坛里就有四合
木呀。

啊，这些不是
灶头里常见的
东西吗？
我也看人用
它点过火。

知识卡片

四合木是中国特有的植物，其根系十分发达，是最具代表性的古老珍稀植物之一。这种植物仅分布于中国内蒙古地区以及俄罗斯、乌克兰部分地区。四合木起源于 1.4 亿年前的古地中海植物区系，曾与 7000 万年前的恐龙生活在同一时代，因此，四合木能够为研究古生物、古地理及全球变化提供有力的支持。

为什么要保护矮牡丹？

僵尸博士太会使唤人了，让咱们找什么矮牡丹啊！
幸好他提供了一份资料和图片，否则咱们找到天黑也找不到啊！

他说矮牡丹可能是牡丹的原植物，很有研究价值。其实，是不是原植物关咱们僵尸什么事啊！

博士还说，矮牡丹的根皮能入药，以后谁生病了他还可以帮忙治一治。
呸，我才不想诅咒自己生病呢！

知识卡片

矮牡丹是相当珍贵的濒危植物，由于根皮能够入药，矮牡丹长期遭受过度采挖。矮牡丹的花是单瓣的，有黄、红、紫、白等颜色，花瓣基部没有紫斑。作为中原牡丹的始祖之一，矮牡丹是中国特有的花卉种质资源。

什么“草”价值千金？

你们为什么突然发动进攻？
我们的目的很简单，只要你们交出火龙草的兄弟黑节草，咱们一切好说！

搞了半天，原来是火龙草惹的祸啊！
我只是路过的，居然就被拉来了……

我没这么个兄弟！
你骗人！你是想袒护自己的兄弟吧？

什么黑节草？我连听都没听过！
黑节草就是铁皮石斛，能够加工成非常名贵的中药“枫斗”。

它每千克的价值在1300美元以上，被誉为“价值千金的草”。
听到没有？那东西跟我一点儿关系也没有。

对！淘金僵尸要我们找的就是那种价值千金的黑节草！
找什么找啊！我们这儿真没有这个。

对了，哥哥，春节你送给爸妈的那个礼盒上就写着“铁皮石斛”四个字对吧？

高坚果，要是你能弄到铁皮石斛，就先把僵尸打发走吧。我这把老骨头，已经快要撑不住啦！

可是铁皮石斛很贵啊，这钱……
铁皮石斛的钱我稍后就给你，你先帮个忙吧！

哥哥，我好难受，快撑不住啦！
好吧，我打电话叫个快递，让对方把黑节草送来。

知识卡片

黑节草又名铁皮石斛。这种附生植物一般生长在原生性阔叶林中，以发达的气根着生于布满苔藓的树干或岩石上。黑节草幼嫩时茎是淡绿色的，成熟后就变成暗褐绿色。由于它的药用价值很高，被长期拔采，种源已近枯竭。

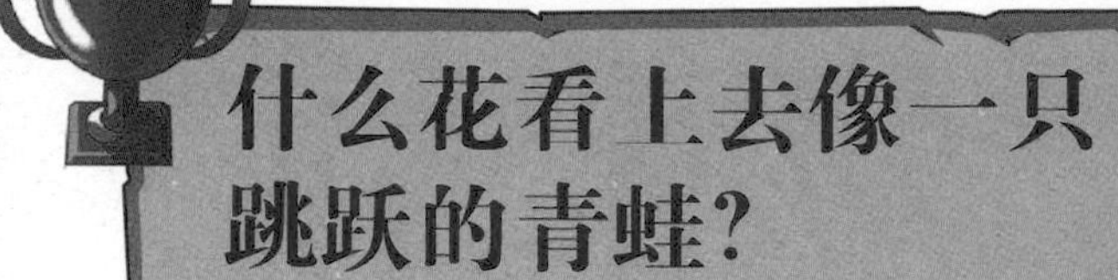
什么花看上去像一只
跳跃的青蛙？

大嘴花，我刚刚看到一只白色的青蛙，太吓人了！

白色的青蛙？难道是透明蛙？
不，不是透明的，是纯白色的。

那可能是得了白化病的青蛙吧，没什么好奇怪的。
不，我们要把它保护起来，生了白化病的青蛙多可怜啊。

你还真是爱护小动物啊，不如带我去看看吧。

咦，我刚才明明就是在这里看到的，怎么不见了？

青蛙是会跳的啊，它跳进沼泽里去了吧。
沼泽里又没有吃的，它应该不会跳进去吧……

你说的白色青蛙，不会指的是它吧？
什么？

哦，好像就是它……

那是幽灵兰啦！它生长在潮湿的沼泽附近。
因为它没有叶绿体，所以开出的花朵是苍白的。
天啊，我还没见过长得这么像青蛙的花朵呢！

真是的，害我白跟着你操心一场，我回去了。

我生活在水边，沼泽也是我喜欢的地方嘛！
你走错方向啦！那边才是你该去的方向。
怎么办？我迷路了……
知识卡片
幽灵兰一般生长在林地、沼泽中，花的形状十分奇特，像是一只跳跃的青蛙。它的根系呈珊瑚状，而且可以很好地与树皮融为一体，显眼的白色大花就像幽灵飘在空中一样。幽灵兰是附生植物，虽然也缠绕在其他植物上，却不会吸取寄主的养分，而是利用自身的根进行光合作用并吸收水分。

珍奇动物知多少

“丛林之王”——东北虎

东北虎又名西伯利亚虎，是一种大型猫科动物，皮毛呈黄棕色，背部和体侧均有黑色条纹。头大而圆，前额上的数条黑色横纹中间常被串通，极似“王”字，故有“丛林之王”的美称。

东北虎通常栖息在北方的森林中，背上的花纹起到像迷彩服一样的保护作用，以便接近猎物时不引起猎物的注意。东北虎感官灵敏，行动迅速，主要捕食鹿、羊、野猪等大中型哺乳动物，捕食成功率极高。东北虎多在黄昏和夜晚出没，擅长游泳、爬树，具有很强的领地意识，活动范围可达到100平方千米以上。东北虎一般独居，只有在繁殖季节，雌虎和雄虎才会生活在一起。幼虎跟随雌虎生活2~3年，成熟后便离开母亲独自生活。野生东北虎寿命通常为15~17年，人工饲养情况下，寿命可达20~25年。

历史上，东北虎曾经广泛分布于东北林区，然而随着大量居民迁入东北，东北虎也经历了一场空前的劫难——不仅栖息地遭到破坏，还因虎骨、虎皮的经济价值而遭到肆意捕杀。20世纪50年代，野生东北虎的数量已经不足200只，被认定为世界范围内的濒危物种。

自带“砧板”的海獭

海獭，是一种鼬科动物，生活在大海中，繁殖也在水中进行，很少在陆地上停留。海獭头小，身体呈流线型，四肢短粗，后肢脚趾间有蹼，毛浓密，皮毛上还有一层脂肪，使它们能够在寒冷的水中保持体温。

海獭一般在海岸附近活动，擅长潜水，经常潜到3~10米深的海中活动，有时甚至会潜到50米深的海底捕食。海獭主要的食物为贝类、鲍鱼、海胆、螃蟹等，这些食物往往有着坚硬的外壳，很难靠牙齿咬碎。于是，海獭就会在下水前用腹部的皮囊携带一块石头，采集到食物后，便漂浮在水面上“仰泳”，并将携带的石头平放在胸前，把食物的硬壳在石头上击碎，然后美餐一顿。夜幕降临时，海獭会成群结队地挤在一起，将海藻缠在身上，以防被海浪冲走，然后躺在水面上安然入睡。繁育幼崽时，海獭妈妈也经常躺在海面游泳，让小海獭在自己身上嬉戏。

海獭繁殖缓慢，一般5年才会生产一胎，一胎仅一仔。同时，由于近年来的乱捕滥杀、海洋污染等因素，海獭种群数量急剧减少。如今，世界各地都已展开了对于人工养殖海獭的研究。

“海洋霸主”——大白鲨

你知道吗？大名鼎鼎的“大白鲨”其实并不白。大白鲨的背部往往呈浅灰色或浅褐色，在水面上很不容易被发现。只有当它们被渔民捕捞上岸时，才会露出白色的腹部。

大白鲨身长可达6.5米，体重可达3吨，牙齿巨大而锋利，尾鳍呈新月形，身上长满小小的倒刺。同时，大白鲨拥有极其灵敏的嗅觉和触觉，能够在1千米外分辨出被海水稀释了500倍的血液的味道，还能够感应到生物身体产生的微弱电流，这一切都为它成为海洋中最具杀伤性的掠食者奠定了基础。

大白鲨主要捕食鱼类、海豹、海狮及海鸟等，有时也会吞噬鲸鱼尸体。为了有效捕猎，大白鲨主要采取突袭战略——首先埋伏在海底，等到猎物从上方进入自己的狩猎范围再进行捕食。大白鲨生性凶猛，经常在未受到任何刺激的情况下，对船只甚至人类发起攻击，这也使它拥有了“噬人鲨”的别名。

近年来的研究表明，大白鲨对人类造成的伤害十分有限，完全不足以将它划入“有害生物”的范畴。但由于长期以来的误解，外加市场对鱼翅的需求，导致大白鲨被大规模捕杀，如今已经濒临灭绝。动物保护组织由此呼吁人们抵制鱼翅消费，还鲨鱼一片宁静的生存空间。

来自远古的“活化石”——鲎（hòu）

鲎是一种古老的生物，它的祖先大约起源于5亿年前。与鲎同期出现的生物大多已经灭绝或进化，只有鲎至今还保留着原始的样貌，堪称生物界的“活化石”。

鲎属节肢动物，体长可达60厘米，头部有一对单眼和一对复眼，体表覆盖着发达的外骨骼。身体近似瓢形，分为头胸、腹和尾三部分。头胸甲宽广，呈半月形；腹甲较小，略呈六角形，两侧有若干锐棘，后肢长有用来呼吸的腮；长尾呈剑状。鲎平时钻入沙内生活，退潮时在沙滩上缓慢行走，雌雄成体常在一起。

鲎是一种食肉动物，以捕食蠕虫和贝类为主，有时也以海底的藻类为食。每年5~8月是鲎的繁殖季，成鲎在沙滩产卵，孵化出的幼鲎需经历9~12年时间，通过15~16次蜕皮，才能成长为成体，成鲎通常可以生活30年左右。

鲎对人类科技发展有着很大的贡献。科学家在研究鲎的复眼过程中获得启发，对揭开视觉神经传导的奥秘很有帮助，并将鲎复眼的原理广泛应用于电视图像的传输中。此外，鲎的血液中含有一种特殊的酶，可以用来检验极其微量的革兰氏阴性细菌，且检验速度快，成本低，已成为医用检测的理想试剂。由于鲎肉味道鲜美，因此经常被捕捞食用，导致鲎面临着灭绝的危险。如今我国已经逐步建立起养殖基地，保护这一古老物种。

优雅的丹顶鹤

丹顶鹤因为头顶有一块鲜红色的部位而得名，是我国自古以来吉祥和长寿的象征。由于体态匀称而优美，丹顶鹤又被冠以“仙鹤”的别名。

丹顶鹤是一种大型涉禽，体长120~160厘米，颈和脚较长，体态特征明显。丹顶鹤大多栖息于开阔的平原、沼泽和湖泊，有时也出现于农田和耕地中，以鱼虾、软体动物、水生昆虫等为食，成小群活动，能够发出高亢的叫声。丹顶鹤属于典型的候鸟，春夏两季栖息于北方，秋季则迁徙到南方，隆冬时节，经常可以在南方沿海的沼泽地带见到它们优美的身影。

丹顶鹤的繁殖期为4~6月。繁殖期间，雌鹤和雄鹤会伸长脖子拍打翅膀，引吭高歌，这些连续而优美的动作被称为“鹤舞”。丹顶鹤的巢大多建在沼泽的芦苇丛中，幼鸟经过30天孵化，4~5天即能跟随双亲四处行走。丹顶鹤寿命普遍可以达到50~60年，最长能够达到70年，是鸟类中数一数二的“寿星”。

丹顶鹤对环境的清洁度非常敏感。近年来由于大规模开发，丹顶鹤赖以生存的湿地遭到破坏，丹顶鹤的数量也随之骤减，已成为濒危鸟类。为保护丹顶鹤，我国陆续建立了近20个自然保护区，保护工作有了很大进展。

珍奇植物知多少

会“流血”的龙血树

龙血树是一种会“流血”的树——只要用小刀割开龙血树的树皮，很快就会流出像鲜血一样的树汁。这种颜色鲜红的树汁是一种名贵的药材，中医称之为“血竭”，又称“麒麟竭”，具有活血化瘀、消肿止痛的功效，与著名的“云南白药”齐名，被《本草纲目》誉为“活血圣药”。

龙血树主要生长在非洲和亚洲南部地区，喜爱高温、湿润、光照充足的环境，在我国以云南思茅、西双版纳等地为龙血树的主产区。龙血树既有乔木品种，也有小灌木品种。乔木品种为剑叶龙血树，树形高大，树叶呈剑形，生白色小花；灌木品种多为人工栽培，是观赏性植物，可以用来作为装点居室的绿色植物。

龙血树生长缓慢，寿命可长达数千年，是植物界有名的长寿植物。1868年，德国著名地理学家洪堡德在非洲俄尔他岛考察时，发现了一棵被暴风雨折断的龙血树。从断面的年轮粗略估计，这棵树的年龄已高达8000岁以上，令全世界的植物学家惊叹不已。

由于龙血树上百年才会开花繁殖一次，因此野生种群数量很少。龙血树已被列为濒危物种，十分需要人们的关注和保护。

堪比黄金的桢楠

桢楠又称金丝楠，是中国特有的珍贵木材。其纹理直而细密，质地坚实，具有绸缎般的光泽和淡雅的香气，被列为“四大名木”之首。

桢楠属于大乔木，高达30余米，树干笔直。叶子呈椭圆形，有皮革质感，花序为伞状。桢楠喜爱温暖湿润的环境，又耐热抗寒，多分布于阴湿的山谷、山洼和河沟边，可忍受间歇性短期水淹。野生桢楠多见于海拔1500米以下的阔叶林中，主要产于长江以南省区，其中四川所产的桢楠质量最高。

楠木中的金丝，实际上是树的胶质经过氧化后形成的。但只有上好的桢楠经过百年以上的生长氧化过程，才有机会生出细密的金丝。根据清朝内务府造办处的选料标准，整块木头上的“金丝”覆盖率必须达到80%以上，在光照下有步移景换、一步一景的奇幻效果，才能被称为真正的“金丝楠木”。由于数量稀少，金丝楠木的价格甚至高于同等重量的黄金。我国古代的名贵家具常选用优质金丝楠木，同时，金丝楠木还是古代修建皇家宫殿、陵寝、园林等建筑的特种材料。北京故宫及我国现存上乘古建筑多由楠木构筑，如文渊阁、乐寿堂、太和殿等。这些建筑金碧辉煌，高贵大气，深受建筑爱好者们的喜爱。

桢楠从明代起就已经数量稀少，如今更成为我国的保护植物。由于价格高昂，盗伐现象屡禁不止。木材供应商正在积极寻找人工栽培桢楠的方法和替代桢楠的木料。

蕨类植物之冠——桫椤

桫椤曾是地球上最繁盛的植物，与恐龙一样，同是侏罗纪时代的标志。后来，随着地球生态环境的变迁，与桫椤同时代的生物大部分灭绝，只有少数生长在气候适宜地区的桫椤得以幸存，成为当今地球上的“活化石”。

桫椤别名蛇木，茎干中空直立，形似笔筒，可高达6米，有的甚至更高。叶子呈螺旋状排列于茎顶端，像成片垂下的羽毛。桫椤喜爱温暖、潮湿的环境，常生于山地溪流旁或稀疏的林中，经常数十株甚至数百株生长在同一区域，构成群落。世界范围内，桫椤主要分布在热带和亚热带地区，在我国的四川盆地，也曾发现桫椤存活的痕迹。

桫椤对于研究物种的形成和植物地理区系具有重要价值。又因为它与恐龙属于同一时期的生物，因此桫椤对于研究恐龙生存时期的古生态环境和地质变迁，具有重要的参考价值。但在地质变迁和气候变化，特别是第四纪冰期的影响下，桫椤的数量大幅度减少，分布区域也大面积收缩。加之桫椤赖以生存的自然环境愈发恶劣，使得桫椤的自然繁殖越来越困难，进一步减少了桫椤的数量。如今桫椤已成为濒危植物。

“不再孤单”的普陀鹅耳枥

到浙江省舟山市普陀岛参观旅游过的人，都会对慧济寺西侧的一株参天大树有很深的印象。这棵树名叫普陀鹅耳枥，仅分布于普陀岛，迄今树龄已有 200 余年，是该树种在野外唯一幸存的原生植株，被人们称为“地球独子”。

普陀鹅耳枥属落叶乔木，是我国特有的树种，1930 年被植物学家钟观光教授发现，1932 年由林学家郑万钧教授定名。普陀鹅耳枥树高 13 米，树冠覆盖面积 72 平方米，雌雄同株，4 月上旬开花，坚果于 9 月底至 10 月初成熟。由于长期生活在云雾缭绕的山间，普陀鹅耳枥根系发达，具有耐阴、抗风的特性。

多年研究结果表明，20 世纪 50 年代大规模毁林开荒导致的普陀鹅耳枥种群规模的骤减和野外生存环境的剧变，是造成该物种濒临灭绝的主要原因。除此之外，普陀鹅耳枥的自然繁殖能力也很弱，发芽率仅为 20%。但经过科研人员多年的努力，先后从仅有的母株采集并繁育了 1 万株幼苗，成功地在普陀山建立了人工种群，同时，还将幼苗引入全国各地的植物园和科研机构，均取得了很好的效果。“仅存一株”的普陀鹅耳枥终于不再孤单。

世界上最大的花——大王花

大王花是世界上花朵最大的植物，肉质直径可达 1 米左右，有“世界花王”的美称。不过，“世界花王”并不像其他花朵那样芬芳扑鼻，而是散发着令人作呕的恶臭。

大王花的花苞大小有如卷心菜，完全绽放需要48小时左右。刚绽放时还存有一点儿香气，但很快就会散发出腐尸般的气味，一些喜爱腐肉的昆虫就会聚集到花朵中，粘满带有黏性的花粉，完成传粉的任务。大王花的花期仅有4~5天，当花朵凋谢后，大王花就会变成一团腐烂的黏液，结出球形果实。

大王花的主产区为马来西亚、印度尼西亚的爪哇和苏门答腊等地的热带雨林。由于人类采伐木材、开拓种植园等活动的影响，当地雨林面积急剧减少，这使得大王花的数量逐年减少。同时，大王花的药用价值致使当地居民的滥采，更使大王花处于濒临灭绝的危险之中。1984年，国际自然和自然资源保护联盟将大王花列为“世界范围内遭受最严重威胁的濒危植物”。马来西亚政府极力呼吁世界重视和保护这种世界上最大、最奇特的花。

幸运抽奖开始了！

考考你的眼力！请你仔细找一找，此页的图与下页的图有几处不同？快来扫码，参与幸运抽奖吧！

（图片仅供参考，请以实物为准。）

1. 从图中圈出所有不同之处，拍照。
2. 扫描上面的二维码，输入“珍奇动植物14”，按照提示上传照片。
3. 活动截止后，我们将随机抽取20位幸运读者，免费赠送“植物大战僵尸”系列拼插任意一款。
4. 更多详情请见微信上的活动说明。
5. 活动截止日期：2020年11月30日。
6. 本活动最终解释权归中国少年儿童新闻出版总社所有。

图书在版编目（CIP）数据

植物大战僵尸2武器秘密之你问我答科学漫画. 珍奇动植物卷 / 笑江南编绘. — 北京 : 中国少年儿童出版社，2017.3（2020.7 重印）
ISBN 978-7-5148-3763-6

Ⅰ. ①植… Ⅱ. ①笑… Ⅲ. ①科学知识－儿童读物②植物－儿童读物 Ⅳ. ①Z228.1②Q94-49

中国版本图书馆CIP数据核字(2017)第040753号

ZHENXI DONGWU JUAN
（植物大战僵尸2武器秘密之你问我答科学漫画）

出版发行：中国少年儿童新闻出版总社 中國少年兒童出版社
出 版 人：孙 柱
执行出版人：张晓楠

策　　划：张 楠　　审　　读：林 栋
责任编辑：李方晴　郭晓博　　特约审校：李湘涛
封面设计：许文会　　责任校对：黄娟娟
美术编辑：施元春　　责任印务：李 洋
制　　作：上海京鼎动漫科技有限公司

社　　址：北京市朝阳区建国门外大街丙12号　　邮政编码：100022
编 辑 部：010-59512019　　总 编 室：010-57526070
客 服 部：010-57526258　　官方网址：www.ccppg.cn

印　　刷：北京缤索印刷有限公司

开本：720mm×1000mm　1/16　　印张：10.5
版次：2017年3月北京第1版　　印次：2020年7月北京第14次印刷
字数：138千字　　印数：210001-220000册

ISBN 978-7-5148-3763-6　　定价：28.00元

图书出版质量投诉电话010-57526069，电子邮箱：cbzlts@ccppg.com.cn